시즌2 SYMPATHY 4

4

…생각해보니까
우리보다 도브,

백운 선배님이
더 찜찜할
상황이겠네.

왜?
무슨 뜻인데?

대. 선. 배. 잖아.
우리랑 같은 숏 찍을
짬이 아니라고…

그런 건
신경 안 써.

너도 나중에
이런 스케줄 있을 때
새파란 애들
눈치 주지 마.

뒤에서 뭐라고
하지도 말고.

흥~!
저 안 그럴
건데요?

선배님보다
잘 챙겨줄
거거든요?

악.

그러시던가요.

'그런 건'이라고
하지 않았나?

......

난 내 앞일만
신경 쓴다고요.

운이
따르는 편이
아니라서.

…진짜 그렇게 안 보이는데 말 하나하나에 의미 부여하는 편?

표정에서 다 보이거든요. 아무튼 진짜 신경 안 씁니다.

···?

갑자기 디스 당함

기분에 방해받아서 망칠 순 없잖아요.

찰나를 영원히 남기는 일을.

샥 샥···

그것도 '새파란 애들' 앞에서.

······!

딱~ 농담 안 통하는 타입.

재미없어. 근데 좀 멋있다. 선배는 선배인듯.

......

응….

다시 촬영 들어갈게요-!

......

......

TU앙-

TU앙-

그… 괜찮아요?

TU앙

안 괜찮아. 이거 꿈이지? 연락받은 날 기절할 뻔했어.

근데 최이경 쟤는 아무렇지도 않나? 알다가도 모를 놈이네.

......

이 파티원이야말로 막 찍어도 커버감이겠어요.

백운 씨 지금 완전 좋아!!

외 촬영 끝나자마자 갈아입은 거야?

옷 잘 어울리던데 셀카라도 찍지.

불편해서. 난 내 옷이 편해.

곧 졸전 하지?
작품은
잘 끝냈어?

독한 놈….
졸작 기간에
촬영을
다니다니.

잘 끝냈어.
시간 되면 너도
보러 와.

장소 보내줄게

당연하징~.

…흐으음.

그림.

계속
그리는 거지?

응.

전에 네가 그랬잖아. 죽을 때까지 생각날 거라고.

이 일도 재밌지만 그림은 달라.

계속 하고 싶어. 죽을 때까지 생각날 것 같아.

그렇다고 어느 한 쪽을 당장 포기하겠단 건 아니지만…?

오오~ 두 마리 토끼네. 좋겠다!

그것도 네 능력이지! 부럽다~.

그림 그리는 모델이라니 멋있네. 나도 취미를 좀 만들까? 요리 같은….

너 요리 잘해?

아니? 완전 못하는데?

복수하고 싶은 사람 있으면 나한테 말해. 끝내주는 메뉴 하나 만들어줄게.

없어, 그런거….

무런 소리야…

아! 그렇네~!
저 사진 좀
알려달라고
쫓아다녔을 때

난 모른다~
너 알아서 해라 하고
도망다니셨으니까!!

아하하~

그래서 뭐?
너 지금 알아서
잘 하고 있잖아.

뭐가
불만이야···?

저는 아직도
선배한테
사진 배우고
싶습니다.

패션으로
오신다고
하셨으니까

눈치 안 보고
말씀 드리는
겁니다!

빠앙

너 내 눈치
본 적 한 번도
없잖아.

야

선배님.

저. 포기 안 해요.

...?

뭐야?

아니, 내가 계속 말했잖아.

나는 아직 누굴 각 잡고 가르칠…

...?

14

…최,

최이경…?

잠깐,
이것 좀….

왜, 왜 이래?
야 인마…!

선배님?

뭘 그렇게까지
숨기세요.
됐어요.

무,
무슨 소리야,
그게…?

반지까지
맞춰 껴놓고 뭐라고
변명하시게요.

…!

최이경 씨.
일단 오늘 촬영
좋았고요.

지금 괜한
걱정하시는 것
같으니까
말할게요.

저 예비
신랑입니다.

…? 아.

감사합니다.

구경꾼이었는데 감사까지야.

분위기가 많이 달라졌던데?

오늘처럼 가벼운 스타일로 계속 시도해봐도 좋을 것 같다.

네. 그럴까 봐요.

요즘 몸이 가볍더라고요.

포기한 게 많아서 그런가?

……?

…!

자학 그만해.

내가 너한테 실망한 건 그거 하나야.

…와, 하.

할 말 없네, 이거….

......

...왜
사과한 거지.

밖에선 손을 잡거나
포옹을 해도 전혀
신경쓰지 않는 형이

촬영장에서는
조심하고
약속했던 것도
지금 생각해보니
이상해.

_!

형!

얼른 가자.

...아.

?

오래
서 있었어?
차 안에서
기다리지.

......

머뭇.

...그, 아까.

스튜디오에서
사과했던 거
말인데.

형이… 저만 좋, 좋아하는 건 변함 없으니까

진짜 괜찮아요, 저는.

그 상황에서 전혀 안 불안했다면 당연히 거짓말이지만…

……

—?

홍. 그리고 걔 워낙 뒤끝 없는 놈이라 벌써 까먹었을걸?

가자. 가는 길에 카페 좀 들리고.

네!

아, 참.

이경이 너 다음 주부터 졸전이랬지?

네. 형 올 수 있어요?

엥…?!

당연한 거 아냐?! 무조건 가야지!

......!

맞아요.
형 진짜 꼭
와야 돼요.

깜찍.

푸핫, 뭐야?

작품에다
이주빈 사랑해~
뭐 이런 거라도
써넣었어?

......

음.

비슷해요.

어…?   농담이지?

글쎄요
농담일까요,
아닐까요?

주문하신
아메리카노 두 긴
나왔습니다~

너 진짜
사람 식겁하게
왜 이래…

33

그러고보니 우리 이 카페 진짜 오랜만에 오네요?

응?
그런가?

네.

저랑 안린이랑 같이 있었는데 형이 데리러 온 날 이후로 처음일걸요.

와…
얘는 진짜 별걸 다 기억하네…

……

나 그때 너네 둘 보고 엄청 삽질했는데.

네…?!

둘이 잘 어울리네~ 저게 맞지~ 하면서.

…어?

어어?!!

깜짝

!?

깜짝이야…!
왜, 왜요?

왜
그래요?!

아니,
우, 우와아아…
어떡하지…?

뭐예요?
뭐 때문에 그러는
건데요??

삑짤..

그으게…, 사실 몇 년 전부터

도, 도백운한테 전해줘야 하는 게… 있었는데…

전해줘야 하는 거요?

어… 근데 여태 까먹고 있었어…

아이씨… 어쩌지? 당분간 나도 개도 스케줄 때문에 못 만나는데.

내가 계속 갖고 있는 건 찜찜해서 싫고…

개 지금쯤 드라마 촬영장일 텐데 찾아가는 건 더 싫고…

등기로 부칠까…

……

삡반

정 불편하면 제가 갈까요?

……

……,

……

…그, 그닥 좋은 방법이 아닌 것 같….

아뇨. 무슨 반응이에요?

제가 갈래요. 지금 엄청 수상해요.

엉 어 어..

뭐가 됐든,
이제 저한테는
숨기지 마세요.

남들한테는
몰라도 저한테는
안 돼요.

…아, 아까 전에
봐서 알잖아요.

곧이 곧대로 믿고
혼자 추측하고,
실컷 삽질하다가
실수한 거…

아까는
다른 사람이었지만,
다음엔 형한테
실수할지도
몰라요…

안 불안하게
해준다고
그랬잖아요.

……!

자, 이거 전해주면 돼.

이게 뭔데요?

...아까 말했던 조건 있지.

이게 뭔지 네가 도백운한테 직접 듣는 게

내 조건이야.

특이한 조건이네.

티벅..

흐으음…
액자인가?
아니면 책?

사실 그렇게까지
궁금한 건
아니었는데

직접 들으라니까
갑자기
궁금하네…

← 도백운

도백운
골목 돌면 카페 있습니다
카페 앞 가로수에 있어요

넵

음….

여기 어디에
와 있다고
했는데….

!

사, 쾀,

……

와.
연예인같다…

아니. 맞긴 하지.
드라마 촬영
중이었다고
했으니까…

끄으엉,

…?

어.
갑자기 아는
사람 됐다…

뚜웅..

표정이 왜 그래요?

표정이 왜요?

…모르면 됐고.

아무튼 감사. 가보겠습니다.

왝

자, 잠깐만…!

그, 저기요!!

다급

예??

……

United States of America

CALIFORNIA

빼꼼…

그… 그거.

안에 든 거요. 뭐예요?

빼꼼…

하하…. 들으면 살짝 열받을 수도 있는데 괜찮겠어요?

…? 왜, 왜요?

글쎄, 원하는 대로 곱게 대답해주기는 싫네. 나도.

몇 년 전에 이 작가님이 준비하던 개인 프로젝트의 모델. 최이경 씨였죠?

원래는 저였어요.

그런데 저랑 작가님이 헤어지면서 흐지부지됐죠. 애초에 나를 촬영하려고 만든 프로젝트였으니까.

이건 헤어지기 전에 스케치 삼아 찍었던 걸 작가님이 직.접. 소장본으로 만들어준 샘플이고.

약 올리자~

…?!

그래도
이 작가님이
촬영하면
포트폴리오가
되니까

쭈욱.

헤어진 후에도 제가
계속 달라고 했습니다.
이런 식으로 받게
될 줄은 몰랐지만.

아아!

사진
궁금하면 볼래요?
뜯어줄까?

신남의 절정.

그, 그게
둘이 사귈 때 만든
프로젝트였다고…?

그럼 설마
그 때 형은…
도백운을 대신할
모델이 필요해서…
나를…?

짜저렁

필요
없어요…!!!

짜저
렁

부들

부들...

United States of America
CALIFORNI

EST. 1952

CORVO COFFEE

후우우우…

후우우우우…

딸딸 딸 딸 딸

하아아…

불안…

!!

삐리릭

쿵. 쿵.

별떡

쿵. 쿵.

쿵.

아, 아하하… 왔어?

예상은 했다만 기분 안 좋아 보이네… 바닥 뚫리겠다….

안절 부절…

혀, 형은 나름 너한테 전부 솔직하고 싶어서

걔한테 들으라고 한 거야, 이경아…

EST. 1952

……

끼익…

…?

움찔.

…뭐야. 최이경?

너 왜 그래. 무슨 일 있었…

United States of America
CALIFORNIA

……?

…이경아. 최이경, 나 봐봐.

…….

…이,

이경아…,

터벅

터벅

…와.

엄청
화났네.

저렇게
화낼 줄도
아는구나.

아까 촬영장에서
그런 일까지 겪었는데

이상한 조건 붙여가며
그런 심부름까지
시켜선 안 됐어.

United States of America

그날 내가 자기를
왜 작업실로 데려왔는
지도 알게 됐겠지.

생각해보면
화가 치솟을 만도 해.

역시
거짓말을 하는 게
나았어.

연애 중이라 해도
전부 다 털어놔야
한다는 법은 없잖아…

쓸데없는 짓을 했어….
괜찮을 줄 알았어.
상황을 너무 믿었어.

어떻게든
변명을 하자.

우선
진정하고,

평소처럼
침착하게…

턱

최이그…

깜짝.

뭐 해요.

어,
어어…?

뭐 하냐고요.
서서.

먼저 와서 안아주기라도 해요….

열받을 거 알고 내보내놨으면.

…?

뭐, 뭐지…?

어, 응?

......

쯧.

와

...?!

팍

남들 앞에서
안 사귀는 척
하는 게

더
괜찮다는거

꽈
악

취소.

하나도
안 괜찮아.
열받아.

짜증 나….

……

꼭.

…그래.

빠셕.

그게
맞는 거다,
바보야.

스케치
SKETCH

와ㅡ.

시간 진짜
빠르다….

쭝얼..

바글

바글

일찍 왔네.
안 들어가?

아, 어어.
들어가야지.

......

와아.

드디어 끝났다…

너무 많은 일이 있었어…

끄으읏..

지나가는 육체적 개고생과…

감정적 개고생…

최이경!

65

네.

거기까지가
작품 세계.

흐음~.
그렇구나.

야!
최이경!!

그동안 진짜
고생 많았다~.

어,
기현이 안녕.

안린은
솔지랑 있는데.

참. 저는 포토그래퍼,

...정말 죄송한데요.

싸인... 받고 싶습니다...

형 팬이에요...

형을 저보다 먼저 알고 있었더라고요.

며칠 전에 V사 매거진에 실린 인터뷰랑 작가님 사진 인상 깊게 봤습니다...

저희 과 친구들이 작가님 사진을 정말 좋아해요.

저는 제 옷을 작가님이 촬영해주시는 게 꿈이라고 떠들고 다녔는데...

이렇게 만나뵐 줄 몰랐습니다... 작가님께 사진도 꼭 배워보고 싶었는데 말이에요...!!

포토북도 나오고
런웨이도 합니다!

오… 좋네.
포토북 나오면
여기 주소로 한 권만
보내주실래요?
궁금해서요.

네, 네…!
보내드리겠습니다!!

'아직은'
이라고 했지.
방금…

아오!

너 일부러
그러는 거지;

암튼
와줘서 고맙다.
다시 강조하지만
안린은 지금
솔지랑…

아 맞다 솔지…
죽은 듯이 있다
가야지…

응.

궁금한데.

네?
뭐가요?

작품 설명.

아아.

…생각해보니까,
넌 늘 나랑 같이
촬영장에서
일을 했는데

나는 네가
오래 전부터
해오던 그림을
이제야 보네.

네가 그린 그림은 이런 느낌이구나. 거친 듯 섬세한 게 너랑 닮아서 신기해.

사진으로 봐온 거랑 압도감부터 다르네. 진짜 멋지다….

분명 그림인데 꽃이랑 풀 향기가 나는 것 같아….

심쿵쿵

촬영장을 데리고 다닐 게 아니라

이걸 그리고 있는 너를 봤어야 하는 건데…. 난 뭘 한 거지.

……?

형, 잠깐만요. 왜… 왜 미안해하는 거예요??

??

…안 미안한 게 이상한 거지, 짜식아!

작품 준비 중에 촬영까지 시켰구만…

이런 그림을 그리고 있는 줄도 모르고…

머쓱

아, 아아!… 그 뜻이었구나.

미안…

무, 물론 안 힘들진 않았지만

그래도 제가 선택한 거잖아요.

형이랑 같이해서 재밌었어요. 괜찮아요.

솔직히 말하면 지금 너무 후련해서 힘들었던 기억들이 미화된 것 같기도….

윽….

그리고 이 그림.

형 아니었으면 완성도 못 했어요.

…그건 무슨 소리야?

이 그림이랑 나랑 무슨 상관이…,

......? 뭐야? 뭔데‥?

작품 설명.

나중에 말 해줄 거예요.

형한테만.

그래야 이 그림이 완성이 돼요.

....

......와.

방금 엄청 두근거렸어.

새로 고백받은 기분이다, 이거….

아, 아직 설레면 안 되는데….

기대된다. 작품 설명.

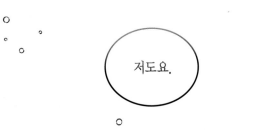

저도요.

......

뭘 해야
재밌는데?

애초에

...잘
모르겠어요.

재밌는 삶이 뭔지
잘 몰랐으니까.

교수직 외길을 걸어오신 아빠는

안식년에 혼자서
해외 여행을 다니던 중
머물고 있던 작은 동네에서

소늘도
나왔네...

혼자 사는 어르신들과
아이들에게 무료로
도예를 가르치던

엄마를 만났다.

영화같은 짧은 연애.
소박한 결혼식.

아는 것도 많고 할 수
있는 것도 많은 부모님은
일찍부터 이런 저런
경험을 해보는 게 좋다며

조금 늦은
결혼이었지만 그래도
행복했다고 하셨다.

공부, 운동, 음악, 요리 같이
다양한 것들을 경험하게 해주셨는데

어린 나는
영문 모를 의무감에
시키는 대로 해낼 뿐

어떤 일에도 쉽게
흥미를 붙이지 못했다.

오늘
기타 수업은
어땠어?

할 만했어요.

선생님이
레슨 잘 따라온다고
칭찬 많이 하셨다.

재미는?
없었니?

…그냥.

잘
모르겠어요.

아이구….

이경아.
오늘도 집에
늦게 올 거야.

얼마나요…?

우리 아들
잘 때.

이나
들어오면 같이
저녁 잘 챙겨 먹고.
전화 할게.

다녀오세요….

부모님은 바쁘셨어도
크게 불행할 것 없는
맞벌이 집안이었다고
생각한다.

그냥, 엄마와 아빠를
자주 보고 싶다는
어린 마음이 전부였다.

…….

기타 연습
해야지.

좀 외로움을
탔을 지도 모르겠다.

하지만 계속 늘어나고
바뀌는 학원들 덕분에
외로움은 금방 무뎌졌고
일상이 됐다.

요령은 없고 성실만 해서
시간만 충분하다면
성적을 낼 수 있었다.

하고 싶은 게 없으니
공부라도 열심히 했던 것 같다.

그런 내가 유일하게
좋아했던 시간은
미술 학원에서 그림을
그리는 시간이었다.

펑
오..

와…
조용하다.

삭
삭

삭..

집중이
잘 돼.

"내가" 표현하고 싶은
느낌이나 이야기들을

오로지 내 손으로
완성해 나가는 뿌듯함이
어색하면서도

눈으로 본 피사체를
내 손으로 다시
구상하면서

온전히 내 것으로
만드는 듯한
느낌이 좋았다.

더 잘 하고 싶은
욕심이 생기는 기분은
특히 중독적이었다.

그렇게 본격적으로
미대로 진학하게 되면서

"더 잘 하고 싶다."
"더 많은 걸 그려보고 싶다"
라는 생각이 들 때쯤

이상하게 형을 만나면 만날수록
시간이 점점 빠르게 갔다.

너무나 당연했던 평범한 일상이
갑자기 지루하게 느껴졌다.

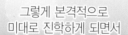

나는 형을 만났다.

재미있는 삶을
알게 되니

재미없는 삶을
알게 됐다.

형과 함께 있는
모든 시간, 모든 사건이
전부 새로웠다.

언어도 모르는
다른 세상에
던져진 것 같았다.

시야가 넓어졌다.

느낄 수 있는 것들이 많아졌다.

창문이
너무 좁았어.

…역시.

오빠!!

…!!

흠마사

윽-?!

자랑스럽다. 이렇게 좋은 갤러리에서 작품 전시도 하고.

저 인간 또 교수 티 내네….

일도 같이 해서 많이 바빴을 텐데…. 신경 못 써줘서 미안하다.

수고 많았어. 좀 쉬고 여행도 다니고 그래라.

어색해….

제가 애도 아니고… 괜찮아요.

천천히 보다 가세요.

그래~
좀 둘러보고 올게.
여기 너무 예쁘다.

네.
저는 여기
있을게요.

......
넌
왜 안 가?

아,
알잖아~.
어디 계셔?

하아…
그럴 줄
알았어.

오늘 오셨지?
여기 계시지?!

어떻게
나이랑 직업 빼고
하나도 안 알려줘?
그렇게 잘생겼어?

까분다….

음, 오… 오빠!

난 그럼 어… 전시 보고 올게!

이따 봐?!

어…

……

엄청 좋아할걸요.

둘이 진짜 똑같이 생겼다.

사진보다 예쁘시다는 말은 실례 맞지?

푸핫! 귀여워.

……

……

…이경아.
혹시

가족분들이
지금…,

저기, 형–

아들?

전시
다 봤는데….

누가 봐도

최이경 가족

......?!

......!!!

......

......

최이경.
너 혹시…

형…!!

저, 제, 제가
다 설명할 수
있어요!!

너 몰라도 나는….

가볍게 못 들을 것 같은데.

이렇게 막 나와버려도 돼…?

네. 괜찮아요.

저 만나러 올 사람들….

그렇게 많은 것도 아니고.

의외로 과에는 친구가 별로 없는 이경….

그런 것 치고는 주변에서 너만 쳐다보던데….

뭐 아무튼….

……

왜…
말했어?

……

아, 아니.

이게
아니고.

…언제
말 한 거야.

……

동거
시작할 때요.

뭐어?!

끄응

그때 말해야겠다고 마음을 먹은 건 아니었어요.

부모님이 자취방 주소를 알고 계시거든요.

이사 가는 건 말씀 드려야하니까 전화를 드렸는데

원룸에 살다가 빌라로 간다고 하니까 뭔가 이상하셨는지…

자꾸 물어보셔서… 하아. 홧김에….

응….

음. 생각보다 더 현실적인 루트네….

사실 사귀는 사람이 있는데 같이 살려고 한다,

그리고…, 남자다. 했더니,

……

왠지 좀, 안심하시는 말투시더라고요…?

…?

어?

돌직구 뭔데…

머뭇,

켁…

혀, 형이 어떤 예상을 했는지는 잘 모르겠지만

두 분 다 그래 그렇구나, 하고 넘어가셨어요. 오히려 궁금해 하시던데요.

…그래?

……

그러고 보니 아까…

뭔가를 알고는 있지만

말 엊지 않는 느낌이긴 했지.

워.

모르겠다.

지금 이걸 황당하다 해야 할지 후련하다 해야 할지…

아니면

오히려 내가 꽉 막힌 건지.

아 맞다.

아무튼 그래서

언제 한번 같이 밥 먹으러 오라고 하셨어요.

벌떡

잠깐만. 뭐…?

나도 같이…?!

계속되는 속구…

덜컹

근데 두 분 다 요리를 잘 하시는 편은 아니라서

높은 확률로 외식을 하지 않을지.

요리는 노력이지~

나… 나 지금 너무 많은 일이 일어나고 있다고!

아, 앗… 그렇네요….

빼그덕.

헉. 진짜? 잘 하실 것 같았는데….

아니 그게 문제가 아니잖아~!!

......

미안해요.

진작 형한테
말했어야
했는데…

......

사과할 일도
아닌데
사과하지 마.

구별이
안 되니까
그렇죠….

......

맞아…
구별 안 되지.

생각해보니까…
말하고 싶은 게
당연해.

우리가 뭐,
한두 달 짧게
만난 것도
아니고.

돌아서 갈 줄 모르는 사람이라 좋다!

고마워.

…!!

형 새삼 저 많이 좋아하네요.

다, 당연하지…

근데 갑자기?

—그날 밤

흐음~.

선물 고르고 있는데 이거 어렵네…

실용적인 거 해드리고 싶은데…

아, 선물….

형이 편한대로 해요.

편한대로 하라니! 이거 되게 중요한 거야.

아아아~.

쪼옥

…… ……

?

푸윽

…몰랐어요.

저는
이런 거 한 번도
안 해봐서.

……?

이런
거라니…

야,
야 인마!!

나도 연애하면서
애인 부모님
만나는 건
처음이거든?!

헉…
진짜요…?

뭐… 뭐?
"헉 진짜요"??

네! 진짜요!!

당연히
해본 줄…

내가 미안하다
그냥…

……

너 삐진 척해도
기분은
좋아 보인다?

아…
들켰다.

숨긴 적은
있고?

당연히
좋죠.

진짜
행복해요.

나도
형 부모님
궁금하다.

흐음~.

못 만날걸?

얼른 자자!
오늘 수고 많았어.

내일 장 볼거니까
너무 늦잠
자지 말고.

응??

왜요? 많이
바쁘세요?

늦잠은
형이 더 많이
자잖아요~.

뭐…
그런 것도 있고.

이건 진짜
나중에 말해줄게.
좋은 분위기
다 깬다.

…누가 뭐래?
내가 나한테 말하는
다짐이었거든?

…으음.

네.
형이 편할 때
말해줘요.

113

우웅

…형.

너무 긴장한 거
아니에요…?

어떻게 긴장을
안 해…

심장 터질 것
같네…

내가 진짜
긴장을 안 하는
사람인데…

이 가을에
식은땀이
다 난다…

게다가 나한테
뭐 물어볼 것도
있다고 하셨다며.

이경아…
형 멀미 나는 것
같아…

아이~
아닙니다, 어머님.
맛있게 드세요.

갑자기
멀쩡해졌어…?

하하~

차
안 가져오셨죠?
술이 있어서.

어머…
가까이에서 보니까
키도 엄청
크시다.

이쪽으로 와서
편한 자리에
앉으세요.

아!
감사합니다.
네네.

택시 타고
왔어요.

이경이
술 해?

한 잔만
주세요.

극존칭을
써주시네…

이런 것까지
배려를
해주시는구나.

특이하기도
감사하기도…

……

물어보고
싶으시단 건 뭘까.
역시 내 직업?

그럴 리가.
일단 몇 년 만난
애인이라는 건 알고
계신댔으니까

최이경
만난 이야기?
어쩌다 사귀게
됐는지?

이것도 아니면
각오 뭐… 그런 거?
이건 너무
진부한데.

와, 진짜
예상 안 되네.

차라리 빨리
매를 맞는 게─

…?

혹시
이거 못 드시는
음식이신가요?

예…?

아, 아뇨!
좋아하는
음식입니다.

아아~
다행이다.

귀한 분 오시는데
우리가 요리를 못해서
포장해 왔거든요.

힝

'귀한 분'…?

요즘은
레스토랑도 포장을
잘 해주더라고요.
입에 맞았으면
좋겠어요.

냄새부터
너무 좋은데요?

…….

쏘근

괜찮아요?

쏘근

쏘근

어, 어…
괜찮아.

잠깐 다른
생각 하느라.

슉.

스윽

…….

…그런데, 저.

저한테 물어볼 게 있으시다고 들었는데….

아, 그래. 당신.

어머! 그거 때문에 모셨는데 깜빡했어요.

모셨… 다고?

어…,

어떤 것 때문에….

그게….

좀 실례일 수도 있을 것 같은데요.

괜찮습니다! 편하게 말씀하세요.

제 프로필
사진을 촬영하고
싶어서요.

……네?

…….

……어,

프…로….

프로필…

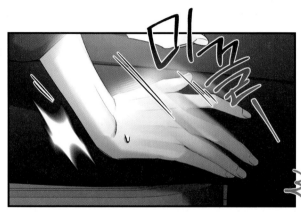

어머, 어떻해…
죄송해요!

아이고~.

죄송해요, 작가님…
불편한 부탁이죠…?
유명하시고 바쁘신 거
아는데…

얼마든지
거절하셔도
괜찮아요!
아우우….

아빠.
무슨 프로필
사진인데요?

엄마가 월간지에서
인터뷰가 들어왔는데
거긴 스튜디오가
없어서

거기 편집부가
최근 사진 있으면
보내달라고
했거든.

이왕
촬영하는 거
예쁘게 촬영해서
액자로도 갖고 있으면
좋을 것 같아서…

근데
너무 갑작스런
부탁이었죠?
죄송해서 어떡…

어머니.

네, 네?

어머님
프로필 사진,

무조건 제가
촬영하겠습니다….

어, 어머…!
정말…?!

아, 깜짝이야.
저는 작가님이
곤란하신 줄
알고…!

사실 아내가
이경이 통해서
작가님을 알게
됐거든요.

작가님 사진
정말 좋아하더라고요.
이야, 감사합니다.

아, 그걸 말하면 어떡해요! 감사해요, 작가님.

어휴, 제가 더 감사드립니다.

촬영 일정은 언제로 맞춰드릴까요?

으음, 일정은 제가 따로 연락을….

저 잠깐 통화 좀 하고 올게요.

어, 그래. 갔다와라.

??

괜찮아. 다녀와.

123

네,
여보세요?

......

작가님도 우리한테
물어보고 싶은 게
많으신 것 같은데.

......! 아, 하하….

학생 때로 돌아가서
다시 면접 보는 것
같습니다, 교수님….

으하하!!
내가 또 너무
그랬나?

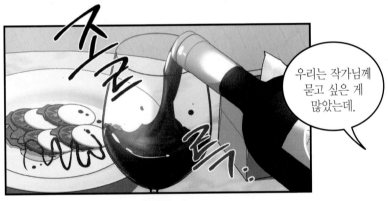

우리는 작가님께
묻고 싶은 게
많았는데.

그런데 이제 와서
자식 연애 끌어다
먹이는
말 지어내기도

제가 해준 게
없으니 부끄러운
짓이거든요.

일단은
사생활이기도
하고.

아….

……

…충분히,

좋은 사람으로
키워주셨습니다.

연애는 하나도
관심 없던 애가
몇 년 씩이나 만난
사람이라니까

순수하게
궁금하기도
했어요.

작가님은
옆에 앉아 있어서
모르셨죠?

쟤 계속
작가님 얼굴만
살피던데.

아, 아…?

그,
그랬나요?

이경이, 만날 수록 어때요?

신기하진 않으세요?

생각보다 갖고 있는 사랑이 많지 않나요?

우린 참 부족하게 줬는데도 어디서 그렇게 사랑이 나오는지 모르겠어요.

그래서 우린 쟤가 하는 사랑에 아무 말도 얹을 수가 없어요.

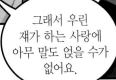

……

……

……

움질.

안 돼.

안 돼. 안 돼.

…그,

그러시군요….

멍청아. 울지 마.

만약에,
우리가 막
우리 아들이랑
만나지 마라!
이러면

안 만나려고
하셨습니까?

아우우, 증말.
하지 마요~!

우리가 반대한다고 안 만날 거면 반납하셔야 합니다?

겪어봐서 아시겠지만 이경이가 상처를 꽤 받는 편이라.

아아

쫌! 최 교수!! 주책 좀. 응?

작가님! 농담이에요… 아휴…

픽.

…….

만날 겁니다.

무슨 말씀을 하셔도요.

몇 분 전:

그래 조심히 들어가고~

이나 있을 때 또 놀러와요!

아쉬워하겠다···

우리 잠깐 산책 하다가 들어가자.

좋아요.

이래서 일단 걷고는 있는데···

터벅··

휙

공원에서 걷는 내내 한 마디도 안 하고 있잖아.

뭔가
생각하는 것
같은데

이럴 땐 먼저
말을 꺼낼 때까지
그냥 두는 게
좋겠지.

…이경아.

네, 네?!

너는
다 생각하고
있었던 거지.

......

뭘를요?

생각해보니까,
그 때 전시장에서
네 반응
하나하나가

올 게 왔다는
반응이었더라고.

내가
준비한 게 있으니
일단 들어보라는
것처럼.

너 꼭 그럴 땐
단순한 '척',
바보인 '척'하더라.

너 그렇게 생각 없이
단순한 마음으로
돌직구 던질 사람
아니잖아.

다 준비한
거지.

나한테
어떤 불똥도
안 튀게 하려고.

그래.
어차피 이사 간다고
말씀드려야 하는 거,
좀 일찍 통보해서

만약에 부모님과
마찰이 있더라도
내가 알아채기 전까지는
네가 어떻게든 해결하려고
한 거지?

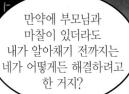

…무작정 질책하고 싶은 건 아닌 것 같고

……

함부로 배려해서 자존심 상한 것도 아닌 것 같고.

그렇다면 역시…

반은 맞고 반은 틀렸어요.

세상 사람들은 그걸 도박이라고 불러. 알아?

너 진짜 어쩌려고 그랬어? 그런다고 내가 너한테 고마워했을 것 같아?!

우쩍

……

주빈이 형.

저도 형이랑 만나면서 깨닫게 된 게 하나 있는데

그게 뭔지 알아요?

쭉, 쭉

135

형 미안하면
화내는 거.

……!

저는 형으로
내기를 한 게 아닌데
이게 어떻게
도박이에요.

그리고…
좀 잃으면
뭐 어때.

난 이제
더 얻고 싶은 것도
없어요.

저
세상 사람들 말에
관심 하나도 없는 거
형도 잘 알잖아요.

......

그리고
이사 때문에
말씀드린 건
맞지만...

혼자서
설득해보려고
한 건 아니에요.
그니까 미안해하지
마요.

...형?

듣고
있어요?

......

미친놈....

내가 누굴 좋아하더라도 있는 그대로 봐주지 않을까 싶어서 애쓰고 살았던 게…

그냥 전부 다… 멍청하게 느껴져.

형 생각이 어땠든… 형이 잘해서 인정받은 거잖아요.

열심히 일한 것까지 나쁘게 생각하면 뭐가 남겠어요.

형 성격이면 인정을 받든 안 받든 똑같이 열심히 했을걸요.

제가 반한 사람은 그런 사람이에요. 이젠… 저도 알아요.

⋯⋯.

이경이, 만날 수록 어때요?

신기하진 않으세요?

생각보다 갖고 있는 사랑이 많지 않아요?

끄덕.

울쩍.

아…, 후우.
됐어. 고마워.

이 나이 먹으니까
찔찔 울기도
체력이
모자라네…

앗…
귀여웠는데.

아쉽..

…?

스윽

슥

문질..

쪽.

내가 그랬다고…?

창피

형한테 물어보고 싶었던 게 프로필 촬영 부탁이었을 줄이야.

아무튼 괜찮아 보여서 다행이에요.

꼬오

오

미안해. 맨날 걱정 시켜서…

진짜 미안…

슥

별것도 아니었네요.

왈칵

그죠?

똑…

정말깜찍

잘 준비 완료~.

뽀송

뽀송

음…?

따 따 따

밤 11시에 들릴 리 없는 불길한 소리….

와… 와아 잠깐만…!

갑자기? 왜…?

저… 전시도… 마무리됐고….

그럼 나는? 내 스케줄은?

없잖아요…!

빠 빠..

뭐야? 어떻게 알았지??

근데… 다른 날도 아니고 부모님 뵙고 온 날 밤에 이러는 거야, 너?

그, 그게 무슨 상관이에요…!

아~무 상관 없지… 타이밍 좋긴 해.

으음… 근데 어쩌지. 오늘은 좀 피곤한데. 저녁 내내 기 빨렸더니….

혹시 피곤해요?

…너 이제 독심술도 해?

네…?

아니, 그게… 많이 피곤한 거면…

군이 오늘 안 해도 괜찮다고요….

몸이랑 말이랑 얘기를 좀 맞춰 봐….

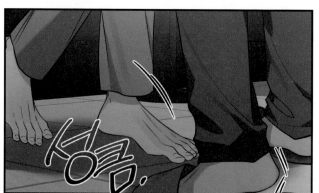

……?

이경아.
최이경.

나 봐 봐.

…네, 네에.

너 아까
왜 그랬어?

내가 너한테
미친놈이라고
하니까

……?

뭐를요…?

위로하는 말이 어려워서 일단 포옹해놓고,

내 얼굴 옆에서 열심히 머리 굴리던 게 엊그제 같은데.

이젠 내 표정 말투 버릇 다 읽고

나 몰래 수 쓸 줄도 알잖아.

새액..

......

저, 고작 깜짝 이벤트 좀 하자고

형 몰래 부모님한테 폭탄선언 한 거 아니에요.

뚝,

어차피 말할 생각이었고, 그게 언제여도 상관 없다고 항상 생각했어요.

굳이 나서서 반대할 분들 아니신 거 다 아니까

쉽게 말한 것처럼 보일 수도 있겠지만… 이런 이유로 말한 건 아니란 거예요.

그런 뜻 아니라는 거 취소.

이거 봐. 변한 거 맞잖아.

아아. ......

쿵쿵. 쿵쿵.

아니지, 변했다기 보다는.

으음... 아, 그치.

오늘 좀 다른 것 같네.

너야말로 지금 화난 거 아니야?

헉.

형...

딱.

좀...

하아.

아. 이것도 아닌가.

아까부터 계속 얼굴이 빨간 게,

155

이게 지금
화가 난 건지

흥분을
한 건지

구별이…

이주빈…!

…!

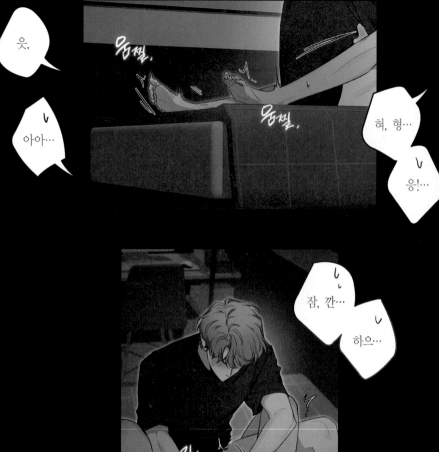

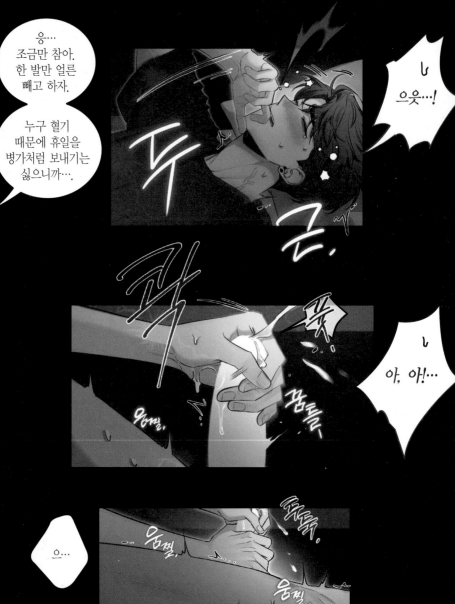

응... 조금만 참아. 한 발만 얼른 빼고 하자.

누구 혈기 때문에 휴일을 병가처럼 보내기는 싫으니까….

으읏…!

아, 아!…

으…

훗…

호… 으…

진하네… 자주 한 것 같은데.

아, 땡큐.

네…

······

하아···

하아·

!?

딱

구야.

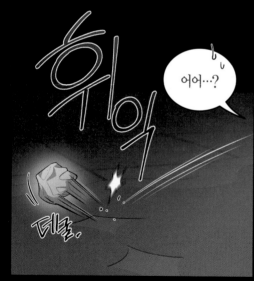

휙익

어어···?

데굴.

왜,
왜 그래??

내가 가서
버리고 오면
되는데···?

?

딱

…미친놈.

……하.

─야,

최이경?

최이경!!

……..

응…!

으극…

아까부터

못 따라오는 것
같은데…

-푸하!

헉…!

저기… 이경아,
분위기 깨기
싫은데

나 오늘
진짜 피곤해…

안 하겠다는 게
아니라 좀 봐달란
소리야. 알지…?

텐션 좀 맞추자.
형 슬슬 무섭다….

쪽,

앙-

흠칫,

아.

최이경이랑
섹스한 지도 벌써
몇 년 째고

최이경이
흥분하는 포인트는
항상 이상했지만.

이게 진짜
아까 전에 내가
미친놈이라고 한 거
때문이라면…

아, 아파….

이거 솜
역대급으로
변태같은 상황
아닌가?

미친놈 소리 듣고
흥분하는 사람이
어딨어?!…

코 앞에 있음.

제바알…

끄으와

끄으

저 지금
장난하는 거
아니에요…

다 알면서
왜….

진짜
왜 그래요,
아까부터….

지극히 평범하게
살고 있던 사람

......

히아.

좋아서
죽고 못살게
만드는 것도

못살게
만드는 거죠,
뭐…

헉,.

......

아~
우리 이경이.

?

바보같이
순진하고
착했는데

애가 어디로
간 거야…

훗…!

아, 아…

읏…

내가 진짜
사람 하나
망친 거야?

어?
그런 거냐고.

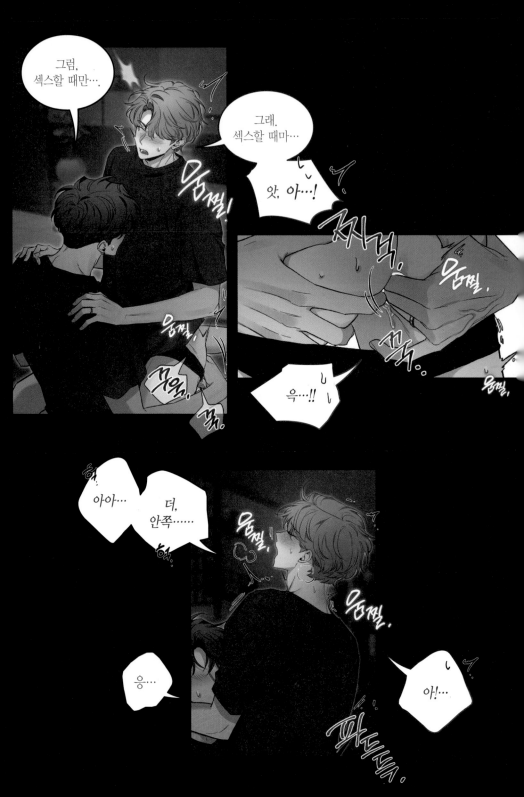

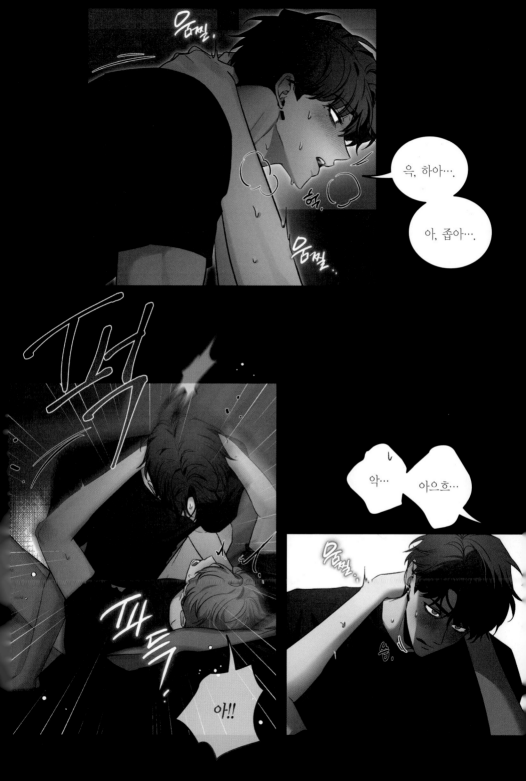

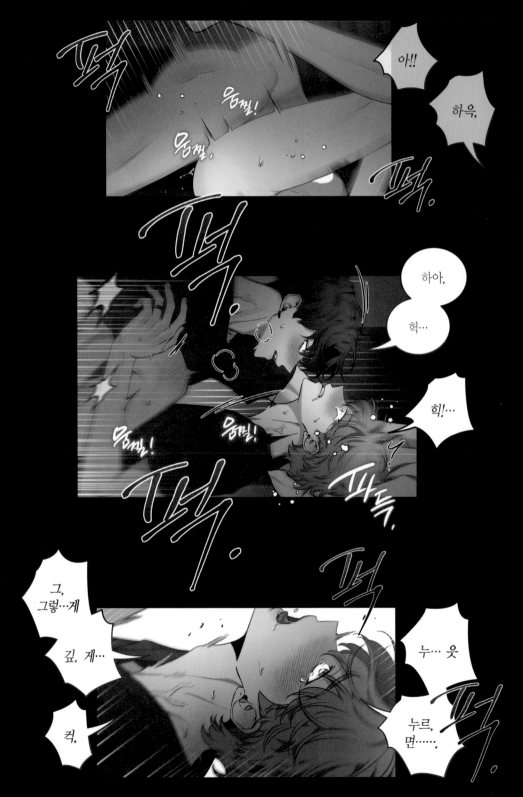

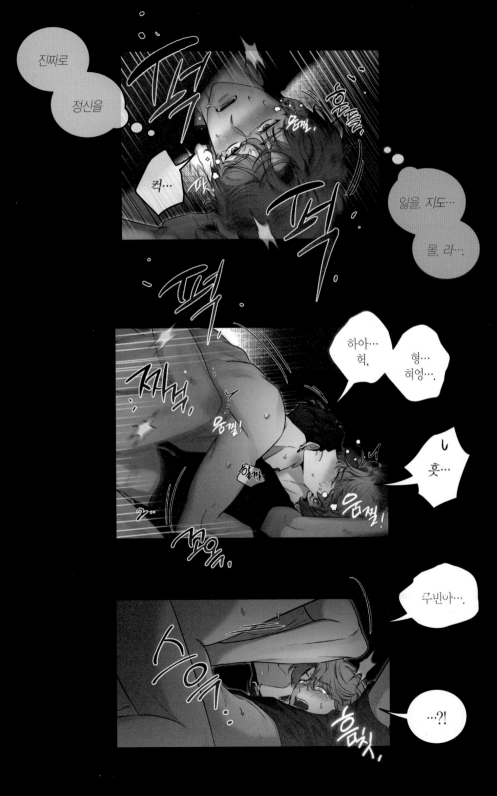

너무
야해…

미안해…

천천히
할게.

아아아!…

아웃…
어떡, 해…

좋아아…
응!…

아… 안쪽
깊게 들어와서…
좋아…

좋아아…
다, 좋은데…

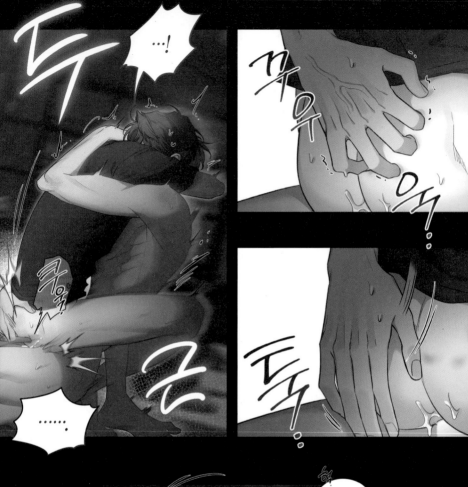

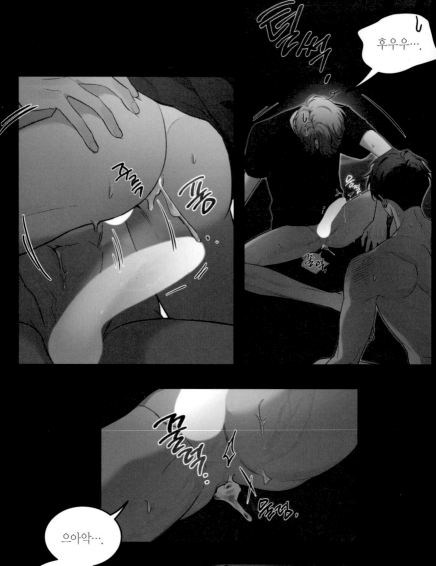

후우우….

으아악…

일주일에
시트를 몇 번을
빠는 거야…

……

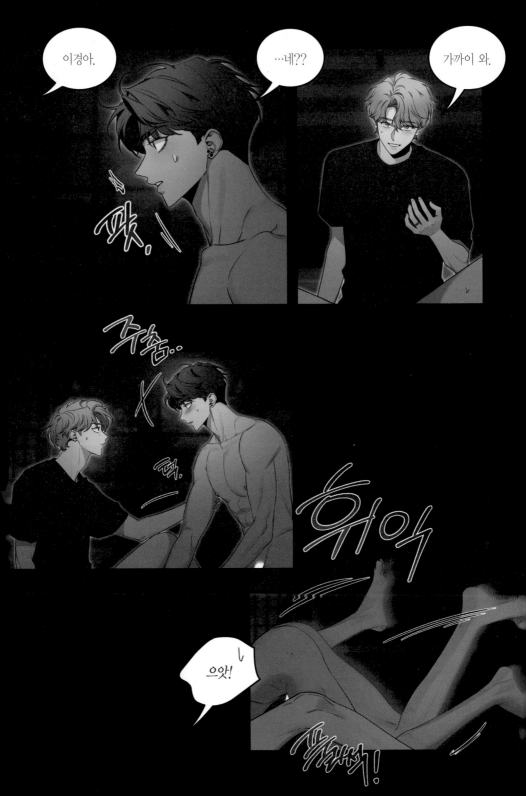

기절하면
깨워서
또 하고

해 뜰 때까지도
계속 한다는
사람 치고는

어째 박력이
부족한데?

말이
그렇다는
거죠…

왜. 한 번
빼니까 머리가
좀 차가워졌어?

…잠깐만
이러고
있을게요…

괜찮아요…
나 때문에 무리
안 해도.

형 하루종일
신경 쓸 일 많아서
피곤했잖아요…

……

...형?

최이경.

이게 꼭
섹스 얘기만은
아닌데

하고
싶은 게 있으면
그냥 해.

나랑 있을 때
만큼은 너무 배려
안 해도 돼.

걱정은 고마운데
그렇게 다 참고
사는 거 난 솔직히
걱정되거든.

습관처럼
참지 말고, 눈치
보지도 말고.

네가
하고 싶은 걸
좀 더 밀어 붙여도
된다고.

쓰윽..

우리가 여기까지
어떻게 왔는 지

모르지
않을 텐데?

아~!

뭉겔!

이경,

앗!...

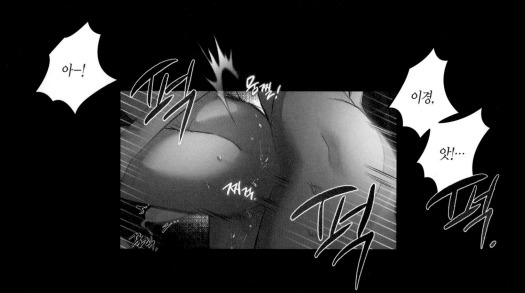

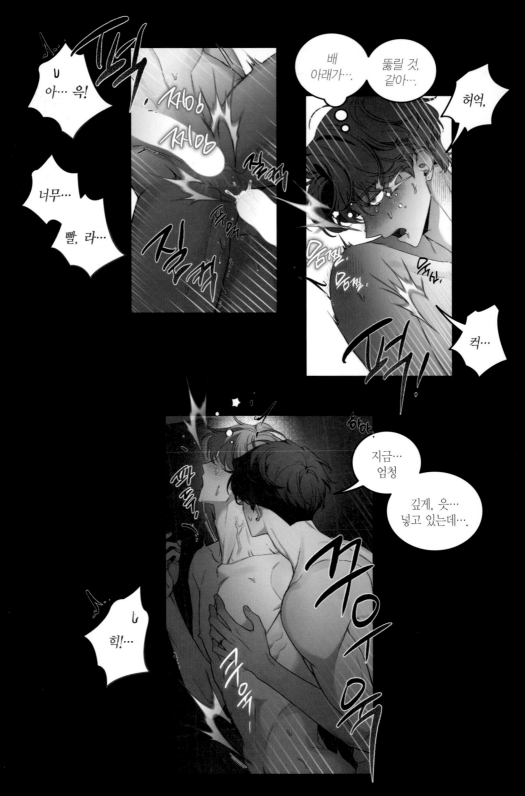

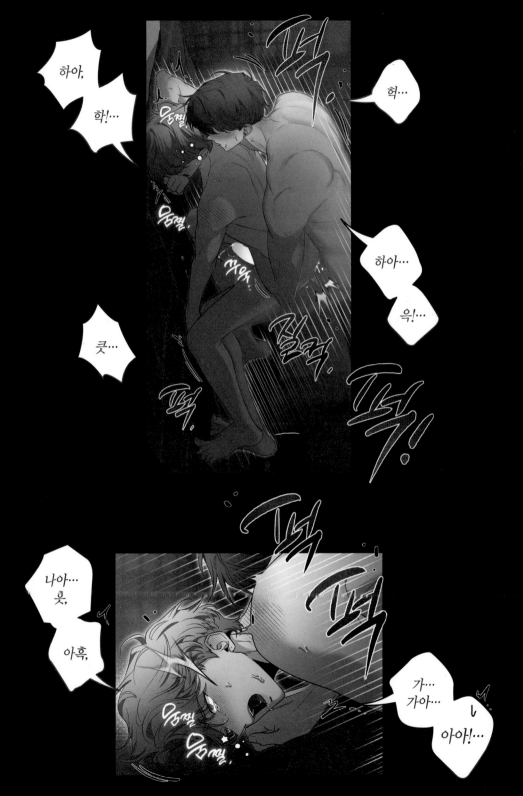

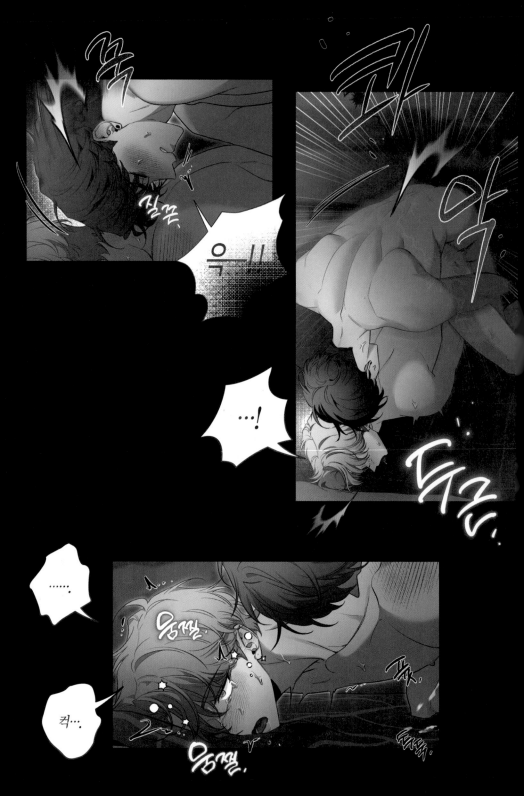

빨리….

쓰윽.

……허.

물
갖다줄까?

흐으음…. 일찍 일어났네요….
몸은 괜찮아요?

털썩—

비끽

이따
마실게요.

끄윽

괜찮아.
이상하게
개운하네….

…뽀뽀해주세요.

씻고 나와.

점심 주문했어.

쪽!

흐흐… 뭐 시켰어요?

왕갈비탕. 2만 원짜리.

맛있겠다….

그날 오후.

으음….

따뜻한 라떼 한 잔이랑…

형은요?

…….

나는,

사장 목숨. 테이크 아웃.

아이고~ 손님 어떡하나?

그건 안 파는데.

도백운 H브랜드 엠버서더 된 거 너도 들었냐?

들었지.

잘 되는 놈 소식은 들으려고 안 해도 다 들려.

쌍말

내 말이 그 말이야~ 아주 백화점에 딱. 정류장에 딱.

옷 사러 나갈 때마다 마주친다니까? 크루 출근할 때보다 더 자주 봐. 열받게.

쌍말

탈 탈.

어쩌라고.

아무튼 존나 잘 나가길래 크루도 접었겠다 나 쌩깔 줄 알았거든?

근데 카페 오픈 날 딱! 저걸 보낸 거야. 해외 나가 있는 새끼가.

미친. 저거 뭐냐?

정신을 차린 것을 축하드립니다

파리에서 도백운

어후… 콱 씨.

은근 감동이다가도 리본만 보면 빡쳐.

쩍

파닷!

크루 때부터 줄곧 느낀 건데

너네 묘하게 사이 좋다.

미쳤냐? 너네 때문에 나라도 애국할라니까 엮지 마라.

회사 미팅?

먼저 오신 분은 여자분이시던데.

미팅 아니야. 먼저 온 분은 남친 친구분이고.

…?

그 셋이 어떻게 알게 된 건데?

그냥 뭐… 우연히. 아 비켜. 주문하게.

복잡한 과거 때문에 만나는 건 아니지? 파티원이 뭐 이래??

나 오픈한 지 얼마 안 돼서 깽판 치면 곤란한데.

아... 아니... 아닙니다, 그런 거.

성실하게 → 대답한 사람.

아이씨. 뭘 자꾸 캐물어?!

음료 나오면 벨이나 제때 눌러!! 커피 안 내리면 그거라도 하던지…

아니 저새끼가… 나 커피 하나도 모르는 거 어떻게 알았지?

넌 도대체 아는 게 뭐냐?!

이주빈이 일부러 내 가게로 약속 잡은 거?

그건 알지. 너무 쉬워서.

곧 문 닫을 가게 구경 온 건데 뭘 감동하고 있어?

나중에 카페도 재미 없다고 징징대지나 마라.

어~ 우리 커피 아니면 안 되는 몸으로 만들어줄게!

근데 저거… 왜 묘하게 피곤해 보이냐. 밤에 잠을 잘 못 자냐?

그래도 이번엔 제대로 정착했네. 오래 만나는 거 보니까.

사장님 말 졸라 많다.

…사장님. 친구 분 음료 어떻게 할까요?

아이스 아메리카노.

초코 케이크도 하나 껴서.

우와~! 잘 지냈어?

이렇게 셋이 보는 거 진짜 오랜만이다!!

그러게요! 전 잘 지냈어요.

저 이거 다 사서 스크랩했어요! 신기해서.

오빠 패션 쪽으로 아예 가신 거예요?

나야 뭐 불러주면 가야지~.

그보다 감동이다. 인터뷰도 다 봤구나?

236

넌 다음 작품 준비 중이랬지?

오래 쉬네. 뭐 하고 지냈어?

음, 별건 없고….

완결 나고 첫주 내내 잠만 잤어.

일어나면 휴대폰 좀 보다가 자고 눈 떴을 때 어두우면 또 자고.

왠지 연락을 늦게 보더라….

…?

뭐야…? 잘 지냈다며?

일주일 내내 잠만 잤다고?…

? 이보다 더 잘 지낼 수는 없는데요.

참!

다음 만화 생각해놓은 내용 있어?

없으면 우리가 아이템 줄까? 에피소드 많은데.

흠칫

무, 무슨 아이템 말하는 거예요…?!

아름..

아름..

그…

이제 주변인한테 자문 안 구하려고요.

에엑? 왜~!

너 예전에는

자주 전화로 최이경한테 물어봤었다며!

아니 그, 그건…! 그 땐 얘가 오빠랑 안 만났을 때잖아요!

진짜로 사귀고 있는 주변인 이야기를 어떻게 만화에 써요~!

푸웁..

왜 안 되지? 더 재밌지 않나?

내가 모르는 건가? 많이 이상해?

아, 안 되는게 아니라….

뭐랄까, 너무 주변인이라서…?

그래도… 어… 뭐라도 필요하면 연락할게요.

아, 참. 나 어제 형이랑 같이 본가 갔었어.

오 그래? 엄청 오랜만에 갔네.

어… 오랜만에 대화하려니까 어색하더라.

그래도 분위기는 엄청 좋았어.

…아.

사귀는 거 아서.

아~ 아하.

졸전에서 처음 뵀을 땐 최이경이 어머님이랑 판박이인 줄 알았는데

얘기 나누다 보니까 아버님을 엄청 닮았더라고?

제가요?

응. 분위기가? 키도 엄청 크시고. 표정도 뭔가… 음. 엄청 비슷해.

되게 좋으신 분들이셨어.

왜 최이경이 최이경인지 부모님 뵙고 깨달았잖아.

두 분 다 바쁘셔서 저도 딱 한 번 뵀는데.

최이경네 어머님 엄청 예쁘시지 않아요?

어 진짜… 배우신 줄 알았어.

어머님 프로필 촬영 내가 맡기로 했는데… 맨날 하는 촬영이 왜 이렇게 떨리지.

엄마가 더 떨고 있을걸요?

책임?
무슨 책임?

??

?

…!

잘그락…

그러엄.

당연하지!

씨익.

??

둘이 뭐야…?
무슨 얘기 하는 건데?
나도 알려줘.

그날 기억이
나기는 하고~?

아하핫!!
기억 못 할걸?!

알려줘어….

Cafe velour

스케치
SKETCH

수고하셨습니다!

작가님이 훨씬 고생하셨는데 제가 수고는요.

귀한 시간 내주셔서 감사해요.

아휴, 아닙니다.

중간에 제가 욕심이 나서 이것저것 요구하는 바람에 피곤하셨죠…?

아니에요~ 덕분에 긴장이 풀렸거든요.

오늘 수고했어요, 형.

아쉽네.

오늘 어머님이랑 식사도 같이하고 싶었는데.

―!

나도 형 부모님 궁금하다.

나중에 말해줄게. 좋은 분위기 다 깬다.

네. 형이 편할 때 말해줘요.

언젠간 얘기해주겠지.

흐음~

꾸파

??

억

말캉.

…!

흠칫!

읏…

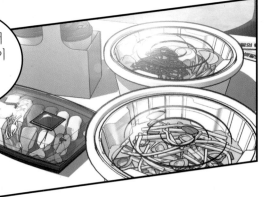

옮긴 스튜디오에서 처음으로 한 촬영이 어머님 프로필이라니.

나 이거 절대 못 잊을 거야.

이전 작업실에 아직 못 가져온 짐 많죠?

저는 오후에 계속 쉬니까 나머지 옮기는 거 도와줄게요.

쓰윽

땡큐~ 네 화구들은 언제 옮길 거야?

이제 슬슬 학교에서 가져와야죠.

별로 없어서 저 혼자 갔다 와도 괜찮아요.

흐으음~ 이제 곧 진짜 졸업이구만.

학생이랑 사귀는 기분도 나쁘지 않았는데.

……!

…!!!

와

악

찌이익.

?!…

푸쉬쉬.

…무

무슨… 그런…….

으….

푸하하핫!!!

뭘 또 그렇게 크게 당황해?!

처음 만났을 때 비하면 너도 많이 여유로워졌구나 싶다가도,

⋯⋯.

아직도 이런 걸로 펄쩍 뛰는 거 보면

진짜 한결같단 말이야.

…당연하잖아요.

첫눈에 반한 사람이랑

계속 만나고 있는 건데…

…며,

면 불겠다.

잘
먹겠습니다….

참. 현모
액세서리 브랜드
모델로
발탁됐대요.

사진 엄청
멋있더라고요.

claire le feu

Charmant Rouge

그래?
잘 됐다.

현모도 작은
물이 안 어울려.
끼가 많아서 방송계
나가면 좋을 텐데.

255

점심 먹고 오는 길이에요.

뭘 자연스럽게 꺼내는 거야?

자, 자… 좋은 소식 나쁜 소식 하나씩 물고 왔으니까 주목해줘요.

…저.

결혼합니다.

결혼…?!

그, 그럼 나쁜 소식은요…?

이게 나쁜 소식인데.

네? 왜요…?!

그냥… 내 마음이 그래.

남들은 결혼이 새로운 시작이라는데

나는 앞으로 하지 못할 일들만 떠오르고 그러네… 좀 더 놀고 할걸.

근데 말하고 나니까 둘 앞에서 할 말은 아니네요, 이거…

쓸쓸.

상관없어…. 이제 축하해도 돼?

암트은! 그래서 웨딩 촬영이랑 웨딩 앨범 커버에 들어갈 일러스트를

제 앞의 분야의 탑 두 분께 부탁드리고 싶어요.

괜찮죠? 좋아요. 둘 결혼할 땐 제가 주례 볼게요.

쪼근

쪼근

저, 저는 진짜 좋아요!!

부탁이 아니구먼?

ㅋㅋ

그리고 대망의 좋은 소식!!

이경이 너, 며칠 전에 연락받았지?

아트 페어에서.

어?! 누나가 그걸 어떻게 아셨어요?

어떻게 알기는. 당연히,

솔ㅈ…ㅣ… 한테… 응. 아무튼.

…?!

이경이 너 졸전 이후에 연우한테 연락받았었어?

네… 아, 그게 사실….

형이랑 본가 같이 갔을 때 연락이 왔었는데

그 이후에 정신이 없어서 형한테 말하는 걸 깜빡했어요…

아… 그 전화가 그 전화였구나?

그 소식을 이상하보다 늦게 알게 되다니 형 조금 속상하다…

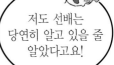

저도 선배는 당연히 알고 있을 줄 알았다고요!

아무튼!

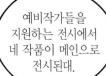

예비작가들을 지원하는 전시에서 네 작품이 메인으로 전시된대.

팜플렛이랑 포스터로도 나온다니까 포커스 많이 받겠어, 최이경!

THE BLOOMING

우와아…!

이것저것 알려드리고 싶어서 갑자기 찾아왔어요~.

축하합니다! 그런 의미로 건배!

땡큐~

감사합니다…! 누나도 결혼 축하해요.

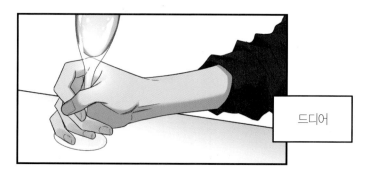

드디어

다른 사람이 찍은
사진 속 모델인
내 모습이 아니라

내가 고른 캔버스에
채운 내 그림을

사람들에게
보여주는 거구나.

저는 지금

최이경 씨가
이걸 하고 싶은지,
안 하고 싶은지를
알고 싶습니다.

간절하니까
그 길을 선택하고
노력한 거잖아.

그러니까 너도
미술을 했겠지.

내 의지로
잡을 수 있는 수많은
좋은 기회들이 있었지만

내가 가장 오랫동안 좋아했고

나도 모르게 욕심 내고 있었던 건
늘 그림이었어.

네가 하고 싶은 걸
좀 더 밀어 붙여도
된다고.

우리가 여기까지
어떻게 왔는 지,
모르지 않을 텐데?

지금 이렇게
형과 손을 맞잡고

줄곧 상상만 해왔던
삶을 살고 있는 것처럼,

이 기회를
절대로 놓치지
말아야지.

오오

씨익

……

챈

앵

!?

팟.

자.

새로운 시작을
위하여.

마렵...

위하여!

우와아-

Blooming

20XX
예비작가
지원전시

엑스포 아트 갤러리 ○○

……

봤던 그림인데도
다른 장소에서
보니까 색다르네.

그치?

빠닥..

…네.

아!! 오셨구나!

이경 씨! 이주빈!

안녕하세요…!

아, 수고 많았어, 연우 씨!

수고는 아직 계속 해야 돼.

들어 봐. 이경 씨 작품 인기가 좋아. 포스터 같은 홍보물 덕도 있고, SNS 프로모션 효과도 컸어.

캔버스도 제일 크고 색감도 화려해서 큐레이터들 눈길도 확 끄는 것 같아.

아까까지만 해도 이 앞 엄청 붐볐어.

어, 어?! 그랬어?!

……!

아직 언급 수준이지만 초대 전시 러브콜도 있었고, 콜렉터 구매 건도 있었고.

이경 씨… 아니.

작가님 오시기 전이라 제가 대신 큐레이터님 명함 받아뒀어요.

초대 전시요? 다른 갤러리에서요?

네. 맞아요.

작가님 내일 지원 전시 멘토링 오실 거죠?

내일 한… 한 시간 정도만 더 일찍 오셔서

초대 전시 제안 주셨던 큐레이터님 만나보시는 건 어떠세요?

아, 네. 그러겠습니다.

기획전이라니까 전시 개요도 자세히 들어보시고….

형.

저 잠깐 작업실 좀 들렀다 올게요.

천천히 다녀와. 나도 스튜디오 정리 좀 하고 있을게.

터벅

끼익

휴우…!

!

스윽

Drawing

이경아?

뭐해?
바빠?

아뇨!
안 바빠요.
들어와요.

빼꼼

다행이다.

냄새는
앞으로 작업할 때
계속 날 텐데….

내일 저랑…
윽,

갈 곳이
있어요

…이경아.

중요한
얘기 중에

진짜
미안한데

급한 불부터
좀 끄자….

277

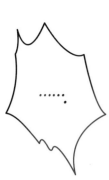

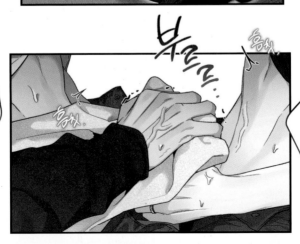

이경아! 나올 때 거실 불 끄고 나와~.

네!

후다닥

천천히 와, 인마.

슥

꼬옥.

이제 가요!

형.
있잖아요.

새삼스럽긴
한데요.

네~
뭐가요?

연애…
진짜 좋은 것
같아요.

풉,

푸핫!!! 왜?

이거.

주면 이렇게
돌아오는게

저는
매번 설레고
좋더라고요…

헤헤.

많이 해본 건 아니지만…. 형이 알려준 거죠.

……

나도 이런 연애는 처음인데?

꼼지락.

너도 알잖아.

나도 연애, 라고 말할 수 있는 만남은 거의 없었어.

바다 한복판에서 목 마르다고 바닷물 퍼 마시는 꼴이었지….

287

......

사락..

형…

저 졸업 작품이요…

아직 완성이 안 돼서

수장고에 맡길 수가 없거든요…

내일 저랑 갈 곳이 있어요.

헉, 진짜 잘 먹었다….

여기 맛있네요. 우리 다음에 또 와요.

좋아! 여기 진짜 맛있다.

이경이 너 맛집 찾는 취미도 있었어? 엄청 잘 찾았는데?

이 근처 식당은 여기가 제일 유명하다고 하더라고요.

자주 오던 동네인데도 몰랐어요.

어엉? 여기 자주 오던 동네였어?

아….

네.
자주 왔어요.
이 동네.

씨익.

……

……

우뚝.

…야.
최이경.

너 오늘
왜 그래?

멈칫,

…?
네?
뭐가요…?

이 자식이…
아까부터 계속 묘한
말로 분위기 잡고…
아련하게 웃고….

내가 너랑
몇 년을 만났는데….
이런 것도 못 느낄 줄
알았어? 어?

괜히 수상하게
굴지 말고
무슨 일인지
당장 불어.

아으아아…!!

바닥나버린 인내심

나 이런 거 진짜
못 기다린다고!

아야….

얼굴은
조심해주세요.

제 남자친구가
반한 곳이란
말이에요….

…그래.
더 끼 부려봐,
어디.

벌렁
벌렁‥

꼭.

이쪽
길이에요.

아,
어디 가는데
또….

도착했어요.

오늘은 사람이
별로 없네요.

좋다.
조용하고….

터벅,

뚜리번

음?

공원 산책로였어?

너도 진짜 예상 안 된다. 이 정도는 그냥 말해도 되잖아…

어휴~

이 공원이 쉬면서 산책하기 딱 좋아요.

앗..

우리 여기 잠깐 앉을래요?

응? 그래.

털썩.

후우….

오늘 더울 줄 알았는데, 바람이 많이 부네…

그러게요.

시원하고 좋다.

쏴아

아.

?

뒤적.

사각.

여기, 딱
이 자리에서

크로키를
하고 있었어요.

…?

뭐?

ᄉᄋᄎ.

그러다가 이제
슬슬 집으로 가려고
일어서서 걷는데

웬 이상한
사람들이 저를
붙잡는 거예요.

잠깐 설문조사 좀 해줄 수 있냐면서.

저는 그때 그냥, 바보같이 막 허둥대고 있었고요.

?···

형도 알잖아요.

저 남의 부탁 거절 잘 못하는 거.

…잠깐만.

이경아.

아, 진짜 싫다.
어떡하지?
이러고만 있는데

갑자기 뒤에서
누가 나타나서

이렇게 확.
제 손을 잡고

저를
빼내줬어요.

......

그 때
그 사람이···
뭐라고 했더라?

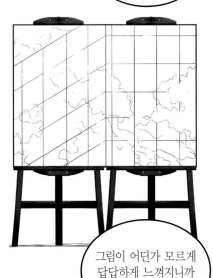

제
졸업 작품은 고작 스케치만 된
상태로 오랫동안
진전이 없었어요.

그림이 어딘가 모르게
답답하게 느껴지니까
손이 안 가더라고요.

그때
무작정 형도 없는
형 작업실을
찾아갔는데

그곳에서
있었던 일들이
지나갔어요.

그리고 천천히
기억들을 더듬어 보다가
제가 표현하고 싶었던 게
뭔지 깨달았어요.

'창'의 창문은

저에겐 시야,

형에겐
카메라 렌즈
같은 거예요.

그 위에 화려한
색을 칠할 수 있도록
도와준 사람은

다른 사람도
아니고
형이었어요.

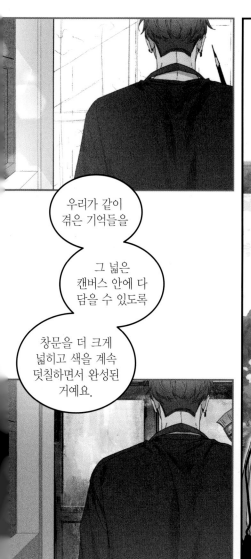

우리가 같이
겪은 기억들을

그 넓은
캔버스 안에 다
담을 수 있도록

창문을 더 크게
넓히고 색을 계속
덧칠하면서 완성된
거예요.

제 졸업 작품
'창'이요.

…아, 아니, 나는….

내가 한 건, 별로…, 오히려 내가—

쭈쭘,

투둑,

…!?

툭ㅡ

투둑ㅡ

어, 어?! 비…!

깜짝!

투두둑ㅡ

우왓…!!

오늘 분명 비 소식 없었는데….

아…! 왠지 바람이 많이 불더라!

소나기인 것 같다. 생각보다 좀 쏟아지네.

근처에 비 피할 곳 없나?

너무 공원 한가운데라…

아. 저기로 잠깐 들어가요!!

그러자.

뭐…
그건 그거고.

툭툭.

우와아….

그새 엄청
축축해졌네….

딸탕.

툭
툭.

여기서
5분 거리에
카페 거리예요.

여기에 있다가
빗줄기 약해지면
얼른 들어가요.

너 인마. 우리
둘의 절절한 서사를
무려 졸업 작품으로
남긴 거야?

끼잉…

아아,
어쨌드은…

많은 사람들이
좋아하는 그림이
됐잖아요…

머쓱..

……

그래도
아까 거기서 좀 더
멋있게 잘 말하고
싶었는데….

분명
어제까지만 해도
구름만
조금 끼고

날씨는
좋을 거라고
했는데….

……

사는 게 다
계획로만 되겠냐.
남 뜻대로 됐다가
내 뜻대로 됐다가
하는 거지.

감동은
이미 받았어.
아까 네가 내 손
딱 잡았을 때….

…잡았을 때?

아~ 그.
쫑파티였나?

네.
형 담배 피우러
잠깐 나왔을 때.

저는 약간
취해 있었고….

쏴아

그때 너,
어떻게든 나한테
말 걸려고 하는 게
뻔히 보여서

진짜
귀여웠는데.
큭큭….

으으윽….

그거 전부 다 엊그제 같은데 벌써 몇 년 전이야.

덕분에 이것저것 추억 꺼내보네.

고마워. 공원에서부터.

제가 며칠 전부터 고민하고 계획했던 하루는 되지 못했지만….

그래도 이건 이것대로 좋네요.

…있잖아.

나도…
안 좋은 기억들을
하나씩 지우고
덮을 수 있었어.

네가…
내 옆에 있어서.

나 비도 엄청
싫어하거든.

말했었지?
왜 싫어하는지.

꼬옥,

전에
공원에서요.
기억 나요.

…….

!?

깜짝,

형…!?

5분 거리라며?

싸아아

제일 빨리 도착한 아무 카페나 들어가서 천천히 말리자.

아니, 형... 비에 젖는 거 싫어하잖아요.

좀 기다려도 괜찮은데...

뭐 어때.

내 손 잡아.

비 같은 거 빨리 뛰면 그만이지.

지우고
덧그리고

다시 지우고
그 위에
그려내기를,

서로의
순간 순간을

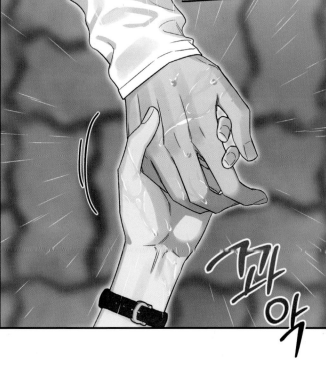

꽈
악

우리를
감싸며 지나가는
사계절처럼

멈추지 않고
반복하다 보면

마주 본
우리의 모습은

지금보다 더
선명해져 있겠지.

그리고

우뚝…!

우왁…!!

뭐…!

다시는
완벽한 사랑을
위해서

헌 노트를
외롭게 붙잡고
있지 않겠다고,

＊＊＊

안녕하세요. 도삭 입니다.

〈스케치〉 시즌 2이자 본편이 드디어 마무리되었습니다!

완결이 나면, 원고에 몰두했던 지난 시간들이
파노라마처럼 쭉 길게 지나가면서
이런저런 생각도 많아지고 감상에 젖을 줄 알았는데…
후기 글을 작성하려고 메모장을 켜니
오히려 머릿속이 백지상태가 되어버렸네요.

시즌 1, 시즌 2 중간 후기와 개인 Q&A, SNS 등으로
〈스케치〉가 전하고자 하는 이야기와
인물들의 비하인드 등을 열심히 전달드렸더니
무슨 말을 해야 '완결 후기' 같은 후기가 될지
너무 고민됩니다….

여기까지 쓰는데
30분 걸림….

〈스케치〉를 프롤로그부터 완결까지
부지런히 달려와 주신 분들께만 드릴 수 있는,
그야말로 '완결 후기' 같은 특별한 이야기란 역시
중심인물들의 이야기겠죠?

이미 다 만화로 전해드린 내용들이라
좀 지루할 수도 있겠는데요 ㅋㅋ

미뤄뒀다가 갑자기 생각날 때 언제든
킬링 타임으로 읽어보셔도 좋겠습니다.

완결이 났으니 이제는 한 번에 정리할 수 있는
〈스케치〉 속 **중심인물들의 이야기**와
〈스케치〉를 이루고 있던 **특별한 장치**를
천천히 꺼내볼게요.

최이경

평범한데 얼굴 때문에 하나도 안 평범한,
〈스케치〉의 **관찰자**이자 **주인공**입니다.

내향적이고 신중하며… 잘생겼습니다.
물질보다 가치를 중요하게 생각하는 미대생이에요.

잘생겼지만 말이 없고 모두에게 친절하지는 않아서
처음 보는 사람들에게는 오해를 많이 사기도 하지만
정작 본인은 해명할 생각도, 관심도 없습니다.

최이경의 이런 성격을 잘 아는 친구들은
최이경 몰래 대신 주변에 해명을 해주기도 합니다.

초기 설정의
최이경은 약간
사나웠습니다.

대학교에서
꼴통 남자 선배랑
말싸움하는 장면도
있었어요.

자적자
이슈로다가…

DOSAK

아무튼 이겼음!

말싸움 피하는
성격으로 바꿔서
없어졌음

근데 회상하다 보니
뒤늦게 재밌어 보인다….

인생에서 누구나 필수로 맞닥뜨리는
자아의 성장과 진로 선택의 과도기에
우두커니 서 있던 와중에

스케치의 프롤로그가 최이경을 비추면서
본격적인 이야기가 시작됩니다.

**최이경은 이주빈이라는 운석이 날아오기 전까지
정말 잔잔한 호수 같은 삶을 살고 있었습니다.**
이 운석이 날아오고 나서야 자기 삶이
호수 같았다는 걸 깨닫게 됩니다.

그리고 사실은 호수가 아니라
해일도 일어날 수 있는 바다였다는 사실을
깨닫습니다.

특이하게도 최이경은
진로 상담도 아니고 부모님과의 대화도 아닌
'연애'로 내면과 외면 모두 성장하게 됩니다.

아무래도 최이경에게 연애란
행위가 아닌 관계였던 것 같습니다.

그래서 최이경이 가장 두려워하고 꺼리는
'예상치 못한 변수'가 발생했을 때
전처럼 피하지 않고
엇나간 관계를 해결하려고
이를 악물고 맞섰던 게 아닐까 싶네요.

최이경은 패션모델이라는 화려한 직업을 갖고
패션 업계로 나갈 수도 있었지만
결국은 시작부터 완성까지
내 의지로 선택할 수 있는
미술을 포기하지 않기로 했습니다.

이주빈을 만나면서 가장 크게 배운 거,
좋아하는 것은 꾸준히 욕심을 내야
얻을 수 있다는 사실이었거든요.

살면서 어떤 것에도 욕심이 없고
안전한 일만 따라왔던 최이경에게는
엄청난 변화였습니다.

최이경은 이제 막 다음 장으로 넘긴
새 도화지입니다.

이주빈

최이경의 히어로이자 자타공인 팔방미인인
사진작가 이주빈입니다.

보통 이야기는 히어로가 주인공이지만
이주빈이 등장한 책은
*블코믹스가 아니라 로맨스라서
최이경에 이어 **두 번째 주인공**이 됐습니다.

활발한 성격 덕에 언제나
이야기가 끊기지 않는 이슈의 중심이지만
내면에는 베인 상처가 많았습니다.

그렇다고 활발한 모습이 전부 가면이냐 물어본다면
이주빈은 웃으면서 황당해할지도 모릅니다.
그냥 태생이 사교적인 성격입니다.

그래봤자 아무도 인정 안 해줄 거다.

하지만 모든 분야에 최고가 되려는
엘리트적 습성은
슬프게도 어느 정도는 가면입니다.

학생 때 아버지에게
정체성을 크게 부정당했는데,
그때 생긴 나쁜 버릇입니다.

그와 동시에
짝사랑하던 친구를 사고로 잃으면서
밝았던 성격은 점점 어두워지고,
자학도 날이 갈수록 더 심해졌습니다.

하지만 최이경이라는 바다에 미끄러지면서
물속 같은 고요함을 난생처음 느낍니다.

남의 상처를 공백도 없이 껴안아 오는 무모함에
무서울 정도로 이끌리게 됩니다.

하필 사고로 잃었던 짝사랑을 닮아서
다시 잃는 게 두려워 최이경을 밀어내기도 했지만,

끊임없이 믿음을 준 최이경이 고맙고 애틋해서 다시 사랑을 시작합니다.
**사랑을 주면, 바로 다시 돌아오는 '첫' 연애에
이주빈은 천천히 치유됩니다.**

최이경 앞에서만은 약하고 부러진 모습도, 약간은 창피한 모습도 전부 보여줍니다.
그게 이주빈에게 있어 가장 큰 애정 표현이란 걸 이제는 최이경도 알아요.

지금 이주빈은 오히려 최이경을 히어로라고 생각할지도 모릅니다.
자기 로맨스가 블록버스터일 거라고 아직도 착각 중이거든요.

자신이 최이경의 새 도화지를 채워준 <u>물감</u>인데도요.

그리고, **도백운.**

모델에 이어 이제는 배우까지 도전하고 있는
패션모델 도백운입니다.

진한 인상인데 심지어 무뚝뚝하고 표정도 없어서
건조한 사람이라는 평이 있지만,
n년차 팬들은 도백운은 속 깊은 낭만파라고
진심으로 반박합니다.

모델이 되고 싶다는 꿈 앞에서는
한 번도 마음이 약해진 적이 없습니다.
목표를 이루면 더 높은 목표를 만들고
경주마처럼 앞만 보는 전력 질주를 해왔습니다.

트랙 한가운데에 떡하니 등장한
이주빈을 만나기 전까지는, 진짜 그랬습니다.

처음에는 분명 호기심이었는데, 이주빈이 가진
의외의 모습들에 어느 순간 진심으로 이끌리게 됩니다.

자신은 호기심이라 생각하고 있지만
사실 첫눈에 반한 게 맞습니다.

그런데 그걸 깨달았을 때는
이미 이주빈 옆자리에
최이경이 자리를 잡고 있었고

(정식으로 사귄 적이 없으니) 전 애인도,
섹스 파트너도, 보호자도 할 수 없는
처음부터 아무 사이도 아니었던 자신의 모습을
병원에서 똑바로 마주하게 됩니다.

로맨스에서는 **서브남주**, 비엘에서는 **후회공**,
최이경에겐 이주빈의 **전 애인**, 이주빈에겐 **그저 과거**.
팬들에겐 **낭만파**, 직장에선 **복에 겨운 놈**.

도백운을 설명하는 건 전부 외부에 있습니다.

시즌 1부터 계속
"서브 남주(구남친)"의
등장을 언급했고

이후 전개의
흥미 유발을 위해
악역처럼 보이도록
유도도 했어요.

*위대한 개츠비 트레이싱

당신의 망또 멀다

갑자기
말을 바꾸는
것처럼 들리는 건
당연합니다.

인물이 하나의 키워드로
정의되는 걸 안 좋아해요

작가로서 한마디로 정리하면, 도백운은
언제 생긴 지도 모르는 상처의 흉터입니다.

다쳤으니까 생겼을 텐데
별로 아프진 않았던 것 같고…?
안 생길 수도 있었을까?
근데 이미 흉터로 남아버렸고….

흉터가 눈에 보일 때마다
이게 뭐 때문에 생겼을지 계속 생각하게 되겠죠.

인용한 컷은
68화입니다.

이주빈의 입으로
직접 이별을 당하고 나서
흉터가 다시 벌어졌다는
의미로 연출한 게
맞습니다.

여러분의 마음 한쪽에도
어느새 도백운이 만든 흉터가 있기를
슬쩍 바라봅니다. ㅋㅋㅋ

비엘이기 전에
그냥 엄청 진득한
로맨스를 해보고
싶었어요.

공x수 관계에
아예 관심을 끄고
시작했습니다.

누가 공이고
누가 수일까

지금 돌아보면
아무도 관심 없는
신인 작가에게는

도박과도 같은
선택이었네요?!
무모함 레전드

키워드 안 듣고
맞춰보세요

너… 뭐 돼?

그리고 로맨스에 있어 **악역**이란 그저 질투심에
사랑을 방해하는 캐릭터밖에 없을까 생각했었어요.

그렇게 되면 스케치가 너무 진부하고 흔한
연하공x연상수의 이야기로 그칠 것 같더라고요.

아 다르다고~~
그거 아니라고~

그래서
사람보다 상황이 나빴던,
사람만이 극복할 수 있는 현실적인 로맨스를
만들어보고 싶었습니다.

물론 최이경 이주빈 등등의
존재 자체가 비현실적임…

특별히 악역이랄 게 느껴지지 않으셨던 이유도 이것 때문이었을 텐데요.

상황이 나빠도 상황보다는
인물들의 감정선으로 울고 웃고 하시길 바라면서
매주 이야기를 만들고, **인물들의 대사와 표정,**
계절감, 컷 연출에 집중해서 그려나갔습니다.

서툰 정신 공격도
2년 내내 기꺼이 당해주셔서 감사합니다.

하지만 저는 앞으로도 오리지널 BL에서
피폐물에 도전할 생각이 없습니다.

잘하는 거나
잘해야 함

스케치의 **가장 커다란 장치**는 다름 아닌
제목이었다고 이제는 말할 수 있겠습니다.

예쁘게 디자인해주신
루희 님 감사합니다.
Twitter @Luhi_design

나도
잊으면
않되.

시즌 1,2를 쭉 보시면서 왜 이게 제목이
스케치인가 생각해보신 적 있으신가요?

최이경과 이주빈이 서로를 바라보는 지금의 모습이
처음의 모습과 많이 달라지지 않았나요?

두 사람이 사건을 함께 겪으면서
자신과 상대를 그려내고 고쳐나가는 과정이 바로
미술에도 있고 사진에도 있는 용어인
'스케치'입니다!

눈이 곧 렌즈가 되고, 서로가 서로의 피사체가 되어 하나의 작품이 되겠죠.
하지만 최이경과 이주빈 둘 다 서로라는 작품의
'완성'에는 연연하지는 않을 것 같습니다.

뭐든 과정이 제일 재밌고 애틋하잖아요.

완결 후기는 여기까지입니다!

웹툰 작가로서 성장할 수 있도록
양질의 도움 주신 담당PD님,
그리고 제가 준비한 이야기를 끝까지 즐겨주신
독자님들께 진심으로 감사 인사드립니다.

SNS에 업데이트 게시글을 올리는 시간마다
단 한 번도 안 떨렸던 적이 없습니다.
엔딩 회차를 올리는 날은 새벽부터 떨리더라고요.

당분간은 울리지 않을 금요일 밤 10시
휴대폰 알람을 습관처럼
기다리고 있을지도 모르겠습니다.

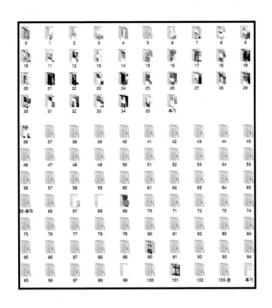

준비 기간 포함한 3년 동안 자주 힘들고, 자주 즐거웠습니다.

데뷔작이라는 게 스스로도 믿기지 않을 정도로
〈스케치〉를 통해 다양하고 과분한 사랑을 많이 받았습니다.

최이경과 이주빈이라는 사람을 만날 수 있어서
작가로서도 관찰자로서도 참 많이 행복했습니다.
이런 이야기를 무수한 관심 속에서
아름답게 끝맺을 수 있게 되어 영광입니다.

여러분도 여러분의 인생을 전환할 기회가 찾아온다면
전혀 다른 일을 하다가 웹툰 작가로 무모하게 뛰어든 저처럼,
이주빈을 만나 욕심을 내기 시작한 최이경처럼

그 기회를 꽉 잡으시고 보답받으셨으면 좋겠습니다!

**누 사람의 영원히 완성되지 않을 이야기.
지금까지 〈스케치〉였습니다.**

감사합니다.

도삭.

스케치 시즌2 SYMPATHY 4

2024년 4월 22일 1판 1쇄 발행
2024년 4월 29일 1판 1쇄 발행

글·그림 도삭

발행인 황민호
콘텐츠4사업본부장 박정훈
책임편집 이예린 | **편집기획** 강경양 김사라
디자인 All design group 중앙아트그라픽스
마케팅 조안나 이유진 이나경 | **국제판권** 이주은 한진아 | **제작** 최택순 성시원 진용범
발행처 대원씨아이(주) | **주소** 서울특별시 용산구 한강로 3가 40-456
전화 (02)2071-2018 | **팩스** (02)749-2105 | **등록** 제3-563호 | **등록일자** 1992년 5월 11일
www.dwci.co.kr

ISBN 979-11-7245-004-5 (07810)
ISBN 979-11-7203-549-5 (세트)